KU-724-133

Barbie™

Maîtresse d'école

Publié aux Etats-Unis par Random House Children's Books,
une division de Random House, Inc. 1745 Broadway, New York, NY 10019,
et au Canada par Random House of Canada Limited, Toronto.

Novélisation : Elizabeth Barféty
Conception graphique : Valérie Gibert et Philippe Sedletzki

Hachette Livre, 58 rue Jean Bleuzen, 92178 Vanves cedex.

Maîtresse d'école

hachette
JEUNESSE

Barbie aime un tas de choses :
ses amis, bien sûr,
mais aussi les animaux,
le sport, la musique...
Impossible de faire une liste complète !
Ce qui lui plaît le plus,
c'est de pouvoir vivre sans cesse
de nouvelles aventures.
Une chose est sûre : avec Barbie,
on ne s'ennuie jamais !

Aujourd'hui est un grand jour pour Barbie ! Elle se rend dans une école primaire, pour y apprendre le métier de maîtresse d'école.

C'est Nora, la maîtresse
des CE2, qui l'accueille.
– Les enfants, voici Barbie !
Elle vient m'aider à faire
la classe.

– Bonjour, Barbie !
disent en chœur
les élèves.
– Bonjour ! répond
Barbie. Je suis très
heureuse de vous
rencontrer.

La classe peut commencer !
– Pouvez-vous me montrer vos cahiers ? demande Barbie.
Aussitôt, les élèves l'entourent. Emma lui montre le livre de lecture, Lucas les exercices de maths et Jade, son dernier dessin.

Emma est déléguée.
Elle est très fière de faire visiter la classe à Barbie.
– Tu aimes l'école ?
lui demande Barbie.
– Oh oui, beaucoup !
répond Emma. Ce que je préfère, c'est la lecture.

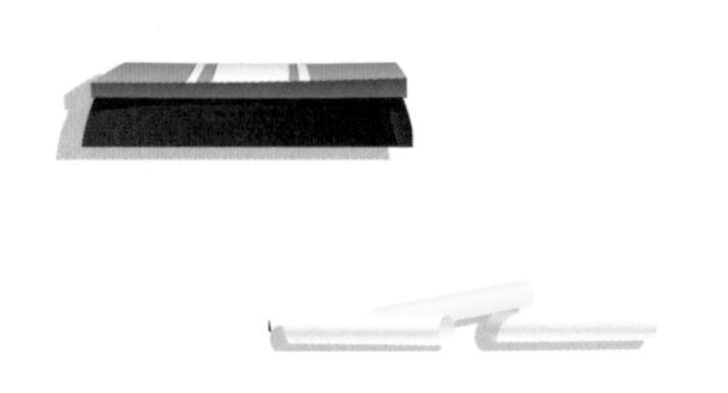

Au fond de la classe,
Barbie aperçoit
un adorable lapin
blanc.

– Ici, c'est le coin des
animaux, explique Emma.
Lui, c'est Coton.
La petite fille soulève ensuite
un petit hamster joufflu.
– Et voici Caramel !

Emma sort Coton de sa cage,
et le pose à côté de Noisette,
une lapine marron.
– C’est nous qui leur
donnons à manger tous
les jours, explique Emma,
en déposant une carotte
devant les lapins.
– On nettoie aussi leurs cages,
ajoute Inès.
– Ils sont très mignons !
s’exclame Barbie
en caressant Coton.

Comme c'est l'heure du repas des lapins, Inès tend une carotte à Coton. Quand il la grignote avec ses grandes dents, ses moustaches remuent.

– On dirait qu'il va éternuer ! remarque Inès en riant.

Inès sait ce qu'elle veut faire quand elle sera grande.

– Je serai vétérinaire ! dit-elle. Parce que j'adore m'occuper des animaux.

– Tu as raison, répond Barbie. C'est important de faire un métier qu'on aime.

C'est l'heure de la lecture.
Tous les élèves s'assoient en rond autour de la maîtresse.
Nora a choisi un bel album.
Elle lit les premières pages, puis demande :
– À votre avis, que va-t-il se passer ensuite ?

bonne idée !
èves sont très
nts. Ils se
ssent en petits
s et réfléchissent
ble. Mathis
'ordinateur :
idé
rcher
ages
lustrer
e qu'il
tée
nma
.

Barbie s'est assise au milieu des élèves. Elle est contente de voir que Jade et Emma lèvent le doigt. C'est important de participer pour progresser ! Après avoir écouté les élèves, Nora explique :
– Maintenant, vous allez écrire votre propre histoire !

Quell
Les él
conte
répar
group
enser
ouvre
il a d
de ch
des i
pour
l'hist
a inv
avec
et T

Lisa et Lucas appellent Barbie. Ils ont une question à lui poser.
– Est-ce qu’on a le droit de faire parler les animaux ? demande Lisa.
– Bien sûr ! répond Barbie, en souriant. C’est votre histoire, vous pouvez imaginer tout ce que vous voulez !

Barbie va ensuite voir Anaïs.
– Moi, j'ai écrit l'histoire d'une princesse très courageuse ! explique la petite fille.
– Très intéressant ! répond Barbie. Je peux la lire ?

Barbie félicite Anaïs.
– Bravo ! Tu as bien travaillé !
– Merci ! répond Anaïs. J'écris souvent à la maison, après mes devoirs. Quand je serai grande, j'aimerais devenir écrivain !

Barbie s'est assise au milieu des élèves. Elle est contente de voir que Jade et Emma lèvent le doigt. C'est important de participer pour progresser ! Après avoir écouté les élèves, Nora explique :

– Maintenant, vous allez écrire votre propre histoire !

Quelle bonne idée !
Les élèves sont très contents. Ils se répartissent en petits groupes et réfléchissent ensemble. Mathis ouvre l'ordinateur : il a décidé de chercher des images pour illustrer l'histoire qu'il a inventée avec Emma et Théo.

Depuis la rentrée,
la classe travaille
sur un projet
d’Arts plastiques.
Tous les élèves
doivent créer
des animaux
marins.
Barbie admire
les œuvres
des élèves.

green
lue
A+

Théo a fabriqué une superbe
tortue en pâte à sel.
Lucas, lui, a fait plusieurs
étoiles de mer.

Jade s'est installée devant le chevalet de peinture, et elle dessine un joli crabe rouge.

– Tu t'es vraiment appliquée, la complimente Barbie. Ton crabe est très réaliste.

– Merci beaucoup ! répond la petite fille. C'est parce que j'adore les animaux marins !

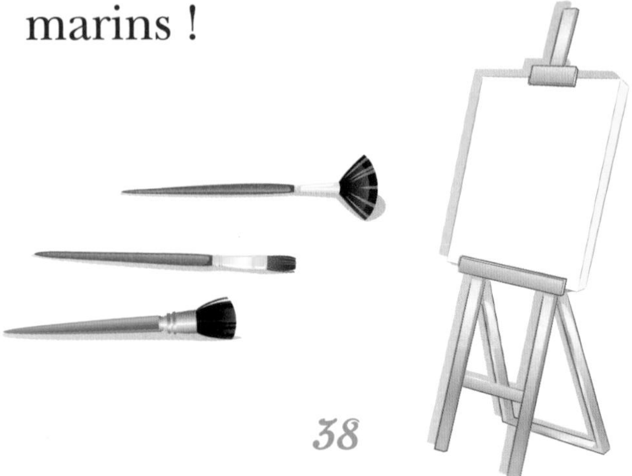

Jade explique : en faisant des recherches sur Internet avec mes parents, j'ai découvert le métier de biologiste marin. C'est ce que je veux faire plus tard !
– C'est un très beau projet, approuve Barbie.

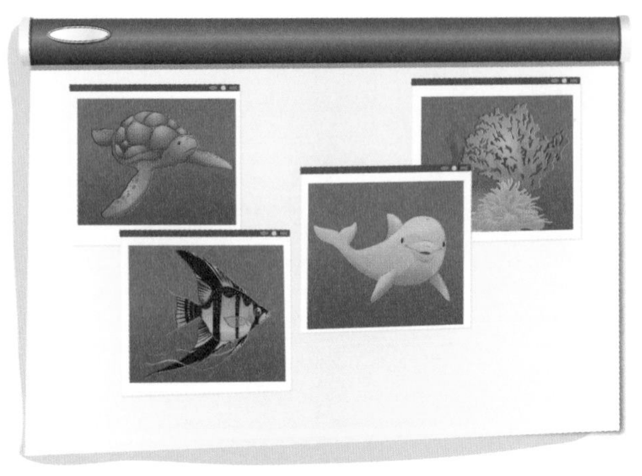

L'heure du goûter approche... Barbie propose aux élèves de le cuisiner eux-mêmes. C'est parti pour l'atelier pâtisserie !

Manon est aux anges :
préparer des gâteaux,
c'est ce qu'elle préfère !
– Mon rêve, c'est de devenir
un grand chef ! annonce-
t-elle à Barbie.
– Oh ! s'exclame Barbie.
Dans ce cas, je viendrai dîner
dans ton restaurant !

Barbie et Nora donnent
un cours de sciences sur
un sujet fascinant : l'espace !
Barbie montre aux élèves
des photos de planètes
et d'étoiles.

Après la leçon, Lisa s'intéresse à Saturne.
– C'est vrai que c'est une planète hors du commun, avec ses anneaux ! remarque Barbie.

– Le métier que j'aimerais faire, c'est astronaute ! explique Lisa. Comme ça, je pourrai visiter d'autres planètes !

– J'espère que ce sera possible à l'avenir ! répond Barbie.

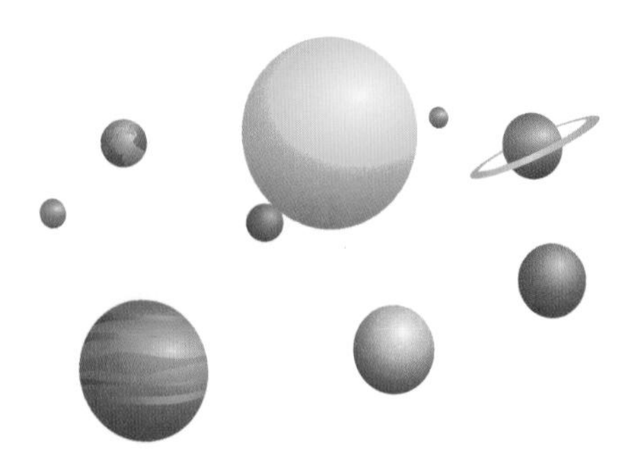

La fin de la journée approche, et Barbie réfléchit.
Emma ne lui a pas encore dit ce qu'elle rêve de faire plus tard. « Voyons, se dit Barbie, qu'a-t-elle aimé aujourd'hui ? »
Elle a distribué les pinceaux aux autres élèves...

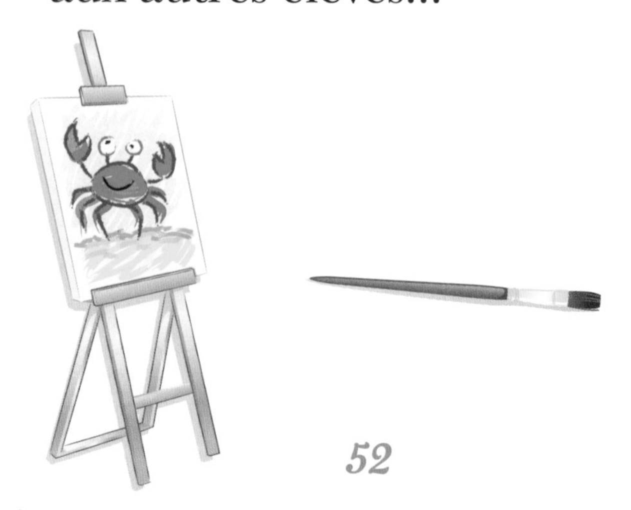

Emma a aussi montré à Théo comment lire un mot difficile...

– J'ai l'impression qu'Emma aime aider les autres, dit Barbie à Nora.

La maîtresse hoche la tête.

– Emma m'aide souvent, approuve Nora.
Et elle fait toujours attention aux autres.

Barbie se tourne vers Emma.
– Alors, quel métier aimerais-tu faire quand tu seras grande ? lui demande-t-elle.
– Je sais ! s'écrie la petite fille. Plus tard, je serai...

— ... maîtresse d'école !
Eh oui, Emma adorerait aider les enfants à apprendre !
— Tu seras une excellente maîtresse d'école, j'en suis sûre ! lance Barbie.

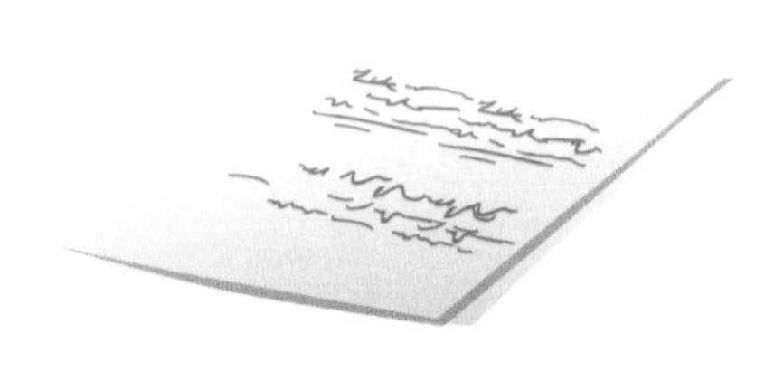

— Comme Nora et
comme toi, Barbie !
s'écrie Emma,
en lui sautant
au cou. Tu es
vraiment une
super maîtresse !

Fin